C

Salades

Sommaire

Carnet de cuisine

Salade

Introduction et recettes de
Catherine Leclère-Ferrière

Photographies de
Jean-Pierre Duval

Romain Pages Éditions

Introduction

Le secret d'une bonne salade réside dans le maniement
du complémentaire et du contraste. Son raffinement vient de la qualité et
de la fraîcheur des produits, mais aussi de la simplicité de la préparation.
L'origine du mot salade vient de « sel ». C'est ce que nous recherchons
en assaisonnant des salades vertes, douces ou amères, des légumes,
des agrumes ou des fruits avec une pincée de sel et du vinaigre :
mettre en exergue leurs caractéristiques.
Choisissez toujours des légumes de saison pour la base de votre
préparation, pour que leurs goûts soient perceptibles.
Vous pouvez augmenter les proportions des recettes de ce livre pour
qu'une salade devienne repas. Servez-la alors avec un très bon pain
au levain, de céréales ou de seigle et du beurre fermier.
Et présentez un beau plateau de fromage pour terminer.

Le petit plus :

Pour obtenir des assaisonnements parfaits, préparez votre vinaigre vous-même à partir de la « mère » qui se forme seule dans une bouteille de vin ouverte à température ambiante, protégée par un simple papier, au bout d'un mois. Ajoutez ensuite des restes de bon vin. Vous aurez un vinaigre délicieux après quatre mois. Entreposez votre vinaigrier dans une pièce indépendante de votre cave à vin.

Salade de brocolis aux coquilles Saint-Jacques.

Harmonie de couleurs et de saveurs, cette salade est raffinée et simple à confectionner. Vous pouvez la préparer à l'avance et la garder quelques heures au réfrigérateur.

Préparation/cuisson

Préparation : 30 minutes
Cuisson : 20 minutes

Ingrédients

2 têtes de brocoli
8 noix de Saint-Jacques fraîches
5 cl d'huile de pépin de raisin
1 citron
80 g de beurre
persil frisé
farine
sel, poivre

Préparation

Faites bouillir une grande quantité d'eau. Coupez les têtes de brocoli et lavez-les bien. Plongez-les dans l'eau bouillante. Jetez dessus une pincée de gros sel pour qu'elles conservent leur couleur. Éteignez et laissez cuire 5 minutes. Égouttez-les sans les casser et laissez-les refroidir. Nettoyez les coquilles Saint-Jacques en gardant pour chacune la noix et le corail. Lavez-les bien et séchez-les. Coupez les noix en deux dans le sens de l'épaisseur. Faites fondre le beurre doucement dans une grande poêle. Salez, poivrez les coquilles, et farinez-les très légèrement. Faites-les dorer doucement 5 minutes environ sur chaque face. Ôtez-les et laissez-les refroidir. Présentez corail et noix en les alternant avec les brocolis. Versez un filet d'huile de pépins de raisins et un filet de jus de citron. Parsemez de persil finement ciselé. Servez frais.
Pour 4 personnes.

Salade de cresson au homard

Dans cette très belle préparation, le piquant du cresson met en valeur la saveur du homard. Vous pouvez aussi préparer cette salade avec des queues de homard ou de langouste. C'est plus simple, mais le corail manquera pour la sauce.

Préparation/cuisson

Préparation : 30 minutes

Cuisson : 30 minutes

Ingrédients

1 homard de 600 g

1 bouquet garni : thym, laurier

1 botte de cresson

10 cl d'huile de tournesol

1 pamplemousse

vinaigre de cidre

sel, poivre

Préparation

Faites bouillir de l'eau salée dans un grand faitout, avec le bouquet garni. Plongez-y le homard vivant et laissez-le cuire 20 minutes à gros bouillon. Égouttez-le et laissez-le refroidir. Lavez le cresson en ôtant les grosses tiges et essorez-le bien.

Ôtez la tête du homard et retirez-en le corail et la matière crémeuse avec une petite cuillère. Mélangez ceux-ci avec un peu d'huile en remuant bien. Ajoutez un filet de vinaigre. Salez et poivrez.

Ôtez la carapace de la queue et coupez la chair en tronçons.

Au dernier moment, ôtez la peau du pamplemousse et coupez-le en tranches. Présentez la chair de homard et le pamplemousse sur une assiette.

Dans un saladier, mélangez le cresson et la sauce. Servez celui-ci à côté, ou dans le saladier. Servez aussi les pinces, accompagnées d'un casse-noix.

Pour 2 personnes.

Mesclun aux langoustines

Cette recette est d'inspiration asiatique. Simple, mais un peu longue à préparer, elle est légère et pleine de saveur.

Préparation/cuisson

Préparation : 40 minutes

Cuisson : 20 minutes

Ingrédients

16 langoustines cuites

salade de mesclun

1 citron

5 g de levure chimique

1 oignon doux

12 feuilles de basilic

12 tomates cerise

5 g de fécule de pommes de terre

8 cl d'huile d'olive

50 g de farine

huile de tournesol

sel, poivre

Préparation

Lavez le mesclun. Mélangez le jus du citron avec le double d'huile d'olive. Salez, poivrez. Ôtez la tête des langoustines et décortiquez-les.

Préparez la pâte à frire : mélangez la farine, la levure et la fécule avec 10 cl d'eau, en battant au fouet. Ajoutez 4 feuilles de basilic hachées finement, le sel et le poivre. Dans une poêle, faites chauffer une bonne quantité d'huile de tournesol. Épluchez l'oignon et coupez-le en rondelles. Faites frire 8 feuilles de basilic rapidement, puis les rondelles d'oignons. Trempez les queues de langoustines dans la pâte et plongez-les 3 minutes dans la friture pour qu'elles soient légèrement dorées. Égouttez-les. Présentez les langoustines sur la salade de mesclun. Versez dessus le mélange citron, huile d'olive. Disposez les tomates cerise autour.

Pour 2 personnes.

Salade de fusilli, aux supions et courgettes

Délicieuse salade méditerranéenne à l'huile d'olive.

Préparation/cuisson

Préparation : 20 minutes

Cuisson : 25 minutes

Ingrédients

150 g de pâtes « fusilli »

300 g de supions

1 oignon, 2 gousses d'ail

2 courgettes

1/2 poivron rouge

2 citrons

huile d'olive, basilic

sel, poivre

Préparation

Faites chauffer une grande quantité d'eau salée. Lorsqu'elle bout, jetez-y les fusilli. Laissez cuire 7 minutes. Égouttez et laissez refroidir.

Lavez les courgettes et coupez-les en lanières d'un demi-centimètre d'épaisseur.

Lavez le poivron. Ôtez les pépins et coupez-le en petites lanières. Dans la poêle, versez un peu d'huile d'olive et faites revenir successivement les lanières de poivrons puis de courgettes. Égouttez-les, au fur et à mesure, sur du papier absorbant. Nettoyez les supions en enlevant la bouche et l'encre. Rincez-les bien et séchez-les. Épluchez l'oignon et l'ail. Coupez l'oignon en dés et hachez l'ail. Dans la même poêle, ajoutez de l'huile d'olive, faites-y sauter les supions avec l'ail et l'oignon, pendant quelques minutes.

Présentez les pâtes au centre des assiettes, les supions autour, les courgettes et les poivrons dessus. Salez et poivrez. Arrosez avec le jus des citrons. Parsemez de basilic haché. Servez frais.

Pour 4 personnes.

Morue et poivrons en salade

Préparation méditerranéenne, qui peut être consommée froide ou glacée. La morue doit être mise à tremper la veille dans l'eau froide pour ne pas être trop salée.

Préparation/cuisson

À l'avance : 24 heures
Préparation : 30 minutes
Cuisson : 10 minutes

Ingrédients

400 g de morue salée
6 tomates
1 poivron vert
1 oignon doux
20 g de persil
thym
5 cl d'huile d'olive
2 cl de vinaigre

Préparation

Placez le filet de morue dessalé et rincé dans une casserole et couvrez-le d'eau froide. Ajoutez une branche de thym. Portez lentement à ébullition. Lorsque l'eau bout, éteignez et laissez tiédir dans le court-bouillon.

Juste avant de servir, rincez les tomates et le poivron. Épluchez l'oignon et coupez ces légumes en petits dés. Mélangez-les. Émiettez au milieu la morue froide. Saupoudrez de persil haché. Versez un beau filet d'huile d'olive et quelques gouttes de vinaigre.

Pour 4 personnes.

Salade de poireaux aux moules

Cette bonne salade d'hiver confectionnée avec les produits de saison peut être servie froide ou tiède.

Préparation/cuisson

Préparation : 30 minutes

Cuisson : 45 minutes

Ingrédients

1 kg de gros poireaux

1 litre de moules

20 g de beurre

20 cl de crème fraîche liquide

1 carotte

1 échalote

20 g de persil

4 cl de vinaigre de framboise

sel, poivre

Préparation

Faites chauffer une grande quantité d'eau. Pendant ce temps, ôtez les feuilles vertes des poireaux. Fendez-les en deux et lavez-les bien. Coupez-les en tronçons d'une vingtaine de centimètres. Plongez-les dans l'eau bouillante salée. Couvrez et laissez bouillir doucement pendant environ 25 minutes. Égouttez-les dès la fin de la cuisson. Pendant la cuisson des poireaux, lavez les moules à grande eau et grattez-les. Dans une cocotte, faites fondre le beurre et faites-y revenir l'échalote épluchée et coupée finement, ainsi que la carotte épluchée, coupée en lamelles. Versez-y les moules. Tournez-les avec une cuillère en bois, couvrez et aissez cuire 10 minutes à feu vif. Toutes les moules doivent être bien ouvertes. Laissez-les refroidir. Sortez-les de leurs coquilles et présentez-les autour des poireaux froids. Préparez la sauce en ajoutant à la crème un filet de vinaigre de framboise, du sel, du poivre. Ajoutez le persil finement ciselé.

Pour 4 personnes.

Salade de truite fumée au raifort

Recette nordique qui met en valeur le chou cru. Le raifort est une racine
à la saveur âcre et piquante qui s'achète râpé en bocal, prêt à l'emploi.
Mélangé à la crème il devient condiment agréable avec les poissons fumés.
Cette préparation est délicieuse l'hiver, simple et rapide à préparer.

Préparation

préparation : 15 minutes

Ingrédients

1 chou vert
200 g de filets de truites
fumées
1 cuillère à soupe de raifort
10 cl de crème fraîche
2 cl de vinaigre de noix
8 cl d'huile de tournesol
sel, poivre

Préparation

Ôtez les feuilles extérieures
du chou et lavez-le bien.
Coupez-le en quatre.
Ôtez le centre et tranchez
les feuilles en lanières fines
sur une planche en bois.
Assaisonnez-les avec
l'huile et le vinaigre.
Salez et poivrez.
Dans un bol, mélangez
le raifort avec la crème.
Présentez les filets de truite
fumée à côté de cette sauce,
avec le chou assaisonné.
Pour 4 personnes.

Salade verte aux croquettes

de brandade. Salade nourrissante et délicieuse, typique de la région nîmoise où est fabriquée la brandade de morue. Dans cette région on la trouve fraîche sur les marchés, ailleurs on peut l'acheter en boîte.

Préparation/cuisson

Préparation et cuisson :
30 minutes

Ingrédients

400 g de brandade de morue
1 œuf
farine
chapelure
1 salade verte
8 cl d'huile d'olive
3 cl de vinaigre
sel, poivre
huile de tournesol

Préparation

Lavez la salade et essorez-la. Au fond d'un saladier, préparez une vinaigrette avec le vinaigre et l'huile d'olive. Salez et poivrez. Mettez-y la salade. Vous la tournerez juste au moment de la servir.

Préparez les croquettes au dernier moment pour qu'elles soient chaudes sur la salade fraîche. Prenez une cuillère à soupe de brandade. Façonnez les croquettes une à une à la main. Roulez-les dans la farine, passez-les dans l'œuf battu, puis enfin dans la chapelure. Faites chauffer de l'huile de tournesol dans une poêle.

Lorsqu'elle est bien chaude, déposez-y les croquettes sans qu'elles ne se touchent. Retournez-les lorsqu'elles sont dorées. Présentez-les sur une assiette sur quelques feuilles de salade et des rondelles de tomates. Servez la salade verte à côté.

Pour 4 personnes.

Salade verte aux pétoncles

poêlés. Cette préparation mérite un bon vin blanc, par exemple un Saumur, ou un Bordeaux sec dont vous prélèverez 10 cl pour la sauce. Servez ce même vin pour accompagner la salade. Vous pouvez utiliser des petites noix de Saint-Jacques, à la place des pétoncles, cela sera encore plus fin.

Préparation/cuisson

Préparation : 30 minutes
Cuisson : 15 minutes

Ingrédients

1 grosse laitue
200 g de noix de pétoncles
50 g de beurre
10 cl de vin blanc sec
15 cl de crème fraîche
2 cl de vinaigre de Xérès
sel, poivre

Préparation

Rincez les noix de pétoncles à l'eau.
Faites fondre le beurre dans une poêle. Versez les noix dès que le beurre bouillonne. Salez, poivrez.

Faites quelques tours avec une cuillère en bois. Ajoutez le vin blanc et laissez mijoter 6 minutes. Ajoutez la crème et laissez cuire 4 minutes de plus. Laissez refroidir.
Vous verserez un filet de vinaigre de Xérès juste avant de servir.
Lavez la salade. Essorez-la. Pour servir, présentez la salade dans un saladier. Versez la sauce de cuisson des noix sur la salade. Tournez-la et servez-la tout de suite, avec les noix à côté.
Pour 4 personnes.

Salade de haddock aux petits navets

Délicieuse salade nordique qui est à la fois douce avec les navets et relevée avec le haddock et le raifort. Ne salez pas ce plat, car le haddock est un poisson fumé qui est déjà salé.

Préparation/cuisson

Préparation : 30 minutes

Cuisson : 30 minutes

Ingrédients

400 g de haddock fumé

50 cl de lait

600 g de petits navets

1 cuillère à soupe de raifort râpé

10 cl de crème liquide

sel

Préparation

Faites chauffer une casserole d'eau salée.

Épluchez les navets, coupez-les en deux, et rincez-les.

Jetez-les dans l'eau bouillante et laissez cuire dans l'eau frémissante pendant 12 minutes. Égouttez-les tout de suite. Pendant la cuisson des navets rincez le haddock à l'eau et mettez-le dans une casserole. Versez le lait et ajoutez de l'eau pour qu'il soit bien recouvert. Portez lentement à ébullition et laissez frémir 15 minutes. Égouttez-le et laissez-le refroidir.

Dans un bol préparez la sauce en ajoutant la crème au raifort. Mélangez.

Servez les navets sur un plat et émiettez le haddock dessus. Nappez avec la sauce.

Pour 4 personnes.

Salade niçoise

Salade classique aux multiples variantes avec les produits du pays niçois. Cette préparation est toujours agréable et colorée.

Préparation

Préparation : 30 minutes

Ingrédients

4 tomates
4 œufs durs
1 poivron rouge
1 poivron vert
1 oignon doux
200 g de thon en boîte
12 anchois à l'huile
80 g d'olives de Nice
10 cl d'huile d'olive
sel, poivre

Préparation

Rincez les légumes.
Coupez les tomates en cubes,
les poivrons en lanières,
l'oignon en tranches.
Émiettez le thon. Écalez
les œufs et coupez-les
en quartier.
Disposez tous les ingrédients
dans un plat.
Versez un filet d'huile d'olive
salez et poivrez.
Pour 4 personnes

Salade de mangues aux crevettes roses à la purée d'avocat.

La saveur légèrement acide de la mangue se prête particulièrement bien à une préparation en vinaigrette. Vous pouvez aussi servir ce fruit avec des concombres assaisonnés de la même manière.

Préparation

Préparation : 20 minutes

Ingrédients

400 g de grosses crevettes roses cuites

2 avocats

1/2 citron

2 mangues

8 cl d'huile de tournesol

1 cèbe ou 1 échalote

2 cl de vinaigre de cidre

2 cl de sauce de soja

sel, poivre

Préparation

Épluchez les avocats. Mixez la pulpe ou écrasez-la à la fourchette. Salez et poivrez bien. Ajoutez le jus de citron et une cuillère à soupe d'huile.

Mélangez avec une cuillère en bois, pour que cela fasse une pâte homogène et lisse. Mettez au frais. Épluchez les mangues. Coupez-les en lamelles. Disposez-les sur un plat selon votre goût. Coupez la cèbe en très fines lamelles et saupoudrez-en les tranches de mangue. Dans un petit bol, mélangez la sauce de soja, avec l'huile, le vinaigre, salez légèrement, poivrez. Mélangez bien et versez sur les tranches de mangues.

Rincez les crevettes et déposez-les à côté. Servez avec la purée d'avocat.

Pour 4 personnes.

Fenouil cuit aux gambas

C'est l'apprêt de cette recette qui est délicieux pour ceux qui apprécient le fromage frais de brebis que l'on trouve dans de nombreuses régions françaises. Vous pouvez le servir avec d'autres légumes cuits ou crus, froid, avec ou sans crustacés.

Préparation/cuisson

Préparation : 30 minutes
Cuisson : 15 minutes

Ingrédients

400 g de gambas cuites
2 bulbes de fenouil
200 g de brousse de brebis
fraîche
lait
30 g de fines herbes
sel, poivre

Préparation

Faites bouillir une grande quantité d'eau. Épluchez et nettoyez les bulbes de fenouil en ôtant les feuilles trop filandreuses. Jetez-les dans l'eau en ébullition et ajoutez une cuillère à soupe de gros sel. Laissez cuire 15 minutes dans l'eau frémissante. Égouttez-les. Hachez les fines herbes au couteau. Dans un bol, mélangez-les délicatement à la brousse de brebis. Salez et poivrez bien. Si le mélange vous paraît trop compact, ajoutez un filet de lait en mélangeant toujours pour que la pâte soit homogène. Disposez le fenouil tranché sur un plat avec les gambas et la brousse dans un bol ou au milieu. Servez frais. Suivant votre goût, vous pouvez verser ou non un filet d'huile sur le fenouil.
Pour 4 personnes

Poisson cru à l'aneth et poires pochées

Cette préparation classique de poissons crus marinés au citron est délicieuse accompagnée de poires pochées.

Préparation/cuisson

À l'avance : 2 heures
Préparation : 30 minutes
Cuisson : 10 minutes

Ingrédients

400 g de poisson cru
(saumon, joue de lotte, colin,
noix de Saint-Jacques...)
4 poires, 2 citrons, aneth
10 cl de vinaigre de cidre
sucre, sel, poivre

Préparation

Préparez les poissons
à l'avance. Rincez-les
et essorez-les. Coupez le
saumon et le filet de poisson
blanc en tranches fines avec
un couteau très bien affûté.
Coupez la joue de lotte en
cubes. Tranchez les noix
en deux dans le sens de
l'épaisseur. Déposez ces
morceaux dans un plat creux.
Versez le jus de citron dessus.

Salez légèrement et poivrez.
Déposez quelques brins
d'aneth et couvrez le plat
d'un film alimentaire. Mettez
au réfrigérateur. Dans une
casserole, faites bouillir
une bonne quantité d'eau
avec une cuillère à soupe
de sucre et un filet de jus
de citron. Épluchez les poires
et coupez-les en deux. Évidez
le cœur. Faites-les pocher
5 minutes dans l'eau
frémissante. Sortez-les et
laissez-les égoutter. Hachez
fin quelques brins d'aneth.
Avant de servir, présentez
les tranches et morceaux de
poisson légèrement égouttés
sur un plat, entourés des
poires pochées. Versez un
filet de vinaigre de cidre,
poivrez et parsemez d'aneth.
Gardez au frais jusqu'au
moment de servir.
Pour 4 personnes.

 33

Filets de maquereaux fumés aux carottes et aux pommes.

Salade d'hiver, cette préparation de légumes et de fruits est agréable pour apprécier le poisson fumé.

Préparation

Préparation : 20 minutes

Ingrédients

200 g de maquereaux fumés

200 g de carottes

400 g de pommes

1 cuillère à café de raifort

1 cuillère à café de savora

15 cl de crème fraîche liquide

50 g de persil

8 cl d'huile

2 cl de vinaigre

sel, poivre

Préparation

Épluchez les carottes. Râpez-les finement. Épluchez les pommes et coupez-les en petits dés ou râpez-les. Dans un bol, mélangez l'huile et le vinaigre, salez et poivrez. Assaisonnez carottes et pommes avec cette vinaigrette. Dans un bol, mélangez les condiments aux aromates (savora) au raifort râpé. Ajoutez la crème liquide. Présentez carottes, pommes et maquereaux sur un plat. Parsemez le tout de persil haché et servez la sauce à côté. Présentez ce plat avec un bon pain de seigle frais, et bien sûr du beurre fermier. *Pour 4 personnes.*

Harengs pommes à l'huile

Salade traditionnelle française qui est toujours appréciée l'hiver. Vous pouvez préparer les harengs plusieurs jours à l'avance. Ils seront meilleurs. Pour que la salade soit parfaite, les filets de harengs doivent sortir du réfrigérateur et les pommes de terre doivent être tièdes.

Préparation/cuisson

À l'avance :
24 heures minimum
Préparation : 30 minutes
Cuisson : 30 minutes

Ingrédients

400 g de harengs fumés
2 carottes
2 oignons doux
persil frisé, laurier
1 cuillère à café de moutarde
600 g de pommes de terre
15 cl d'huile de tournesol
5 cl de vinaigre de vin
sel, poivre, poivre en grain
huile de tournesol

Préparation

Dans une terrine, alternez les filets de harengs avec des rondelles de carottes, des lamelles d'oignons doux, des grains de poivre et des feuilles de laurier. Couvrez d'huile. Fermez et gardez au frais. Dans une grande casserole, mettez les pommes de terre avec leur peau. Couvrez-les d'eau. Salez avec du gros sel, ajoutez quelques feuilles de laurier. Portez à ébullition et laissez frémir de 20 à 30 minutes en fonction de leur taille. Préparez la sauce dans un saladier : mélangez la moutarde avec un filet de vinaigre et l'huile. Salez et poivrez. Égouttez les pommes de terre. Épluchez-les et coupez-les en dés ou en rondelles. Mettez les pommes de terre tièdes dans le saladier sur la sauce et mélangez délicatement. Parsemez de persil finement ciselé. Servez tout de suite. *Pour 6 personnes.*

Salade aux gésiers de canard confits

La salade ouvre l'appétit et permet, avec les produits de la ferme, de dresser rapidement une entrée, ou d'accompagner tout simplement un plat de pommes de terre.

Préparation/cuisson

Préparation : 20 minutes
Cuisson : 15 minutes

Ingrédients

2 salades batavia ou frisée
4 gros gésiers de canard confits
12 tranches de baguette au levain
40 g de cerneaux de noix
5 cl de vinaigre de vin ou de Xérès
15 cl d'huile de noix
1 cuillère à soupe de moutarde forte
sel, poivre

Préparation

Triez et lavez la salade. Coupez les gésiers en tranches fines en gardant la graisse qui les entoure. Faites-les sauter dans une poêle, avec un peu de leur graisse, jusqu'à ce qu'ils soient colorés et croustillants.

Dans une autre poêle, faites revenir les tranches de baguette dans le reste de graisse de canard. Égouttez-les sur un papier absorbant.

Préparez la vinaigrette en mélangeant la moutarde, le vinaigre et l'huile. Assaisonnez la salade avec la vinaigrette et ajoutez les cerneaux de noix.

Disposez pêle-mêle les gésiers chauds sur la salade, finissez d'agrémenter en ajoutant les croûtons. Servez.

Pour 4 personnes.

Salade au magret de canard séché

Excellente préparation originaire du Sud Ouest, qui peut se préparer aussi avec d'autres variétés de salades et d'autres viandes séchées.

Préparation

Préparation : 20 minutes

Ingrédients

20 tranches de magret
de canard séché
40 g de cerneaux de noix
4 brins de cerfeuil
2 salades feuille de chêne
20 g de ciboulette
1 grosse tomate ferme
3 cl de vinaigre de vin
ou xérès
1 cuillère à soupe
de moutarde forte
10 cl d'huile de noix
sel, poivre

Préparation

Ciselez la ciboulette.
Triez et lavez la salade.
Plongez la tomate dans
de l'eau bouillante, retirez-la
aussitôt, rafraîchissez-la
dans l'eau froide.
Pelez-la et coupez-la en dés.
Préparez la vinaigrette
en ajoutant le vinaigre à
la moutarde. Salez et poivrez,
puis incorporez l'huile.
Assaisonnez alors la salade.
Ajoutez les dés de tomate,
les noix grossièrement
concassées et la ciboulette.
Répartissez la salade en
dôme, au centre de quatre
assiettes. Sur les flancs de
salade, disposez 5 tranches
de magret séché par
personne, et agrémentez de
cerfeuil. *Pour 4 personnes.*

Salade au foie gras

L'évolution de notre goût nous permet d'apprécier le foie gras avec une salade au vinaigre. Cela en fait une excellente entrée.

Préparation/cuisson

Préparation : 30 minutes
Cuisson : 10 minutes

Ingrédients

100 g de salade mêlée
(batavia, trévise, feuille
de chêne...)
20 g de cerneaux de noix
10 cl d'huile de noix
80 g de foie gras de canard
mi-cuit
5 cl de vinaigre de xérès
20 g de ciboulette
60 g de haricots verts
1 tomate
sel, poivre

Préparation

Préparez une vinaigrette
en mélangeant le vinaigre
de xérès et l'huile de noix.
Salez et poivrez.
Rincez les salades.

Équeutez les haricots verts.
Lavez-les et faites-les cuire
10 minutes dans de l'eau
bouillante salée.
Rafraîchissez-les dans de
l'eau glacée et égouttez-les.
Plongez la tomate dans de
l'eau bouillante, puis dans de
l'eau glacée. Epluchez-la, et
coupez-la en petits cubes.
Ciselez la ciboulette.
Dans un saladier, versez la
salade, les cubes de tomate,
les cerneaux de noix
et la ciboulette. Assaisonnez
avec la moitié de la
vinaigrette en mélangeant
délicatement. Avec le reste,
assaisonnez les haricots
verts, poivrez. Posez-les
sur la salade. Taillez le foie
gras en fines tranches et
disposez-les sur la salade.
Pour 4 personnes.

Salade de lentilles à la tête de veau

Cette recette printanière du Puy-de-Dôme est une variante de la salade de lentilles classique par l'ajout de la tête de veau et du bleu d'Auvergne.

Préparation/cuisson

Préparation : 30 minutes
Cuisson : 2 heures

Ingrédients

500 g de tête de veau
désossée et roulée
300 g de lentilles
2 carottes
2 oignons, 1 gousse d'ail
bouquet garni : thym, laurier
1 jaune d'œuf
1 cuillère à café de moutarde
50 g de bleu d'Auvergne
10 cl de crème fraîche
15 cl d'huile de noix
sel, poivre

Préparation

Faites bouillir de l'eau dans une marmite. Plongez-y la tête de veau 5 minutes. Sortez-la et rincez-la à l'eau froide. Lavez la marmite, remettez la tête de veau, couvrez-la d'eau froide. Ajoutez un oignon et une carotte épluchée, une branche de thym, du sel et du poivre. Portez à ébullition et laissez frémir 2 heures.

Pendant ce temps, mettez les lentilles dans une casserole et couvrez-les d'eau froide. Ajoutez un oignon et une carotte épluchée, du thym et du laurier. Portez à ébullition, laissez cuire à feu doux 1 heure. Égouttez-les sans attendre pour qu'elles n'éclatent pas. Égouttez la tête de veau. Rafraîchissez-la et détaillez-la en cubes. Préparez la sauce dans un bol : mélangez le jaune d'œuf avec la moutarde, salez, poivrez. Montez en mayonnaise en ajoutant peu à peu l'huile de noix. Lorsque le mélange est pris, ajoutez la crème fraîche et le bleu d'Auvergne écrasé à la fourchette. Dans un saladier, incorporez cette sauce aux lentilles et aux morceaux de tête de veau. Servez tiède pour que le veau reste souple. Vous pouvez aussi servir cette salade dans une feuille de chou cru bien lavée.
Pour 6 personnes.

Salade de Guémené

L'andouille de Guémené aux anneaux concentriques caractéristiques est de qualité exceptionnelle. Elle permet cette recette originale qui allie des produits typiquement bretons : chou-fleur et andouille, auxquels on peut adjoindre des pommes de terre si l'on aime une préparation plus consistante.

Préparation/cuisson

Préparation : 15 minutes
Cuisson : 20 minutes

Ingrédients

1 chou-fleur de 1 kg
500 g d'andouille fumée
4 échalotes
10 cl d'huile
3 cl de vinaigre de cidre
20 g de persil
sel, poivre

Préparation

Faites bouillir de l'eau salée dans une grande marmite. Coupez le chou-fleur en bouquets et rincez-les. Plongez-les dans l'eau bouillante et laissez cuire 20 minutes. Égouttez. Ôtez la peau de l'andouille et coupez-la en petits cubes. Épluchez les échalotes et hachez-les. Dans un bol, mélangez les échalotes avec le vinaigre et l'huile. Salez et poivrez. Parsemez de persil haché fin. Mélangez le chou-fleur et l'andouille juste avant de servir. Versez la sauce sur le mélange et présentez à table. *Pour 4 personnes.*

Salade alsacienne de cervelas

Cette préparation typiquement alsacienne sera délicieuse avec une chope de bière blonde.

Préparation

Préparation : 15 minutes

Ingrédients

4 cervelas
2 œufs durs
2 tomates
2 oignons
1 laitue
10 cl d'huile
3 cl de vinaigre
1 cuillère à café de moutarde
sel, poivre

Préparation

Coupez les cervelas en deux et retirez-en la peau. Incisez-les et disposez-les sur une assiette. Préparez la vinaigrette en mélangeant la moutarde, le vinaigre et l'huile. Salez et poivrez. Garnissez avec les tomates ciselées, les oignons épluchés et émincés, et les œufs durs écalés et écrasés à la fourchette.

Pour 4 personnes.

Salade de haricots verts aux

pommes de terre et au lard. Cette salade constitue un véritable plat complet. Préparez-la au dernier moment, pour la servir tiède.

Préparation/cuisson

Préparation : 30 minutes
Cuisson : 40 minutes

Ingrédients

1 kg de pommes de terre
500 g de haricots verts
250 g de lard
2 échalotes
20 g de persil
30 g de beurre
3 cl de vinaigre
sel, poivre

Préparation

Faites cuire les pommes de terre à l'eau bouillante salée avec leur peau pendant 30 minutes. Dans une autre casserole, faites bouillir une bonne quantité d'eau et plongez-y les haricots verts épluchés et rincés. Salez et laissez bouillir 20 minutes. Égouttez les pommes de terre, coupez-les en rondelles. Égouttez les haricots et présentez-les avec les pommes de terre dans un grand plat. Parsemez avec les échalotes hachées et le persil ciselé. Dans une poêle, faites fondre le beurre. Coupez le lard en dés ou en tranches fines et faites-le revenir. Ôtez-les lorsqu'ils sont rissolés, placez-les sur les légumes, puis déglacez la poêle avec un filet de vinaigre et versez son contenu sur la salade chaude. Poivrez.
Pour 4 personnes.

SALADE ET VIANDES

Salade de fromage de tête

Préparez le fromage de tête vous-même et servez-le avec une vinaigrette aux oignons de printemps et des crudités. La cuisson est longue, mais simple.

Préparation/cuisson

Préparation : 45 minutes
Cuisson : 2 heures
À l'avance : 24 heures

Ingrédients

1/2 tête de porc salé
1 oignon, 5 tomates
2 carottes, 1 poireau
2 salades frisées
50 g de persil et ciboulette
thym, clou de girofle
baie de genièvre, coriandre
5 œufs durs
• Sauce :
20 cl de crème liquide
3 échalotes, 20 g de persil
1 cuillère à soupe de
moutarde, sel, poivre

Préparation

Blanchissez la demi-tête dans l'eau bouillante. Laissez-la refroidir et lavez-la à grande eau ; remettez-la à bouillir avec les aromates. Laissez cuire 1 h 30 à feu doux. Une demi-heure avant la fin de la cuisson, ajoutez les légumes en écumant régulièrement. Sortez la demi-tête de l'eau, désossez-la et coupez-la en morceaux. Poivrez. Ajoutez le persil et la ciboulette. Mettez le tout dans un moule. Laissez refroidir 24 heures au réfrigérateur. Coupez en tranches et servez avec la salade frisée en vinaigrette les tomates et des œufs durs. Épluchez les échalotes et hachez-les au couteau. Ciselez le persil. Préparez la sauce en mélangeant la crème fraîche avec la moutarde, les échalotes, le persil, du sel et du poivre. Servez avec des cornichons. *Pour 10 personnes.*

Salade de mesclun aux fines tranches de bœuf crues.

Ce plat est originaire du Piémont italien. La viande de bœuf crue est délicieuse avec un assaisonnement à l'huile d'olive. Vous pouvez faire couper la viande par le boucher pour qu'elle soit très fine.

Préparation

Préparation : 20 minutes

Ingrédients

400 g de filet de bœuf
120 g de salade de mesclun
1 branche de céleri
10 cl d'huile d'olive vierge extra
2 cl de vinaigre de vin
sel, poivre

Préparation

Lavez le mesclun. Disposez-le dans les assiettes. Taillez le céleri en fins bâtonnets. Coupez le filet de bœuf en tranches très fines. Disposez-les sur la salade et décorez avec les bâtonnets de céleri. Couvrez avec un film de plastique alimentaire et gardez au frais jusqu'au moment de servir. Mélangez ensemble le poivre, le sel, le vinaigre et l'huile d'olive. Versez la sauce sur la viande et servez.

Pour 4 personnes.

Salade d'endives aux noix et au

jambon braisé. Salade d'automne, époque des noix fraîches. L'huile de noix est goûteuse, on peut la couper avec de l'huile plus légère pour ceux qui craignent les goûts forts et typés.

Préparation

Préparation : 15 minutes

Ingrédients

250 g de jambon braisé
(1 tranche épaisse)
500 g d'endives
150 g de cerneaux de noix
20 g de persil frisé
2 cl de vinaigre balsamique
10 cl d'huile de noix
1 cuillère à soupe de savora
sel, poivre

Préparation

Nettoyez les endives en ôtant les feuilles abîmées, coupez-les en tronçons. Lavez-les et essorez-les. Coupez le jambon en dés. Passez les cerneaux de noix au mixeur très peu de temps pour les réduire en chapelure grossière. (Vous pouvez aussi les écraser avec un pilon). Ciselez le persil finement. Dans un plat, disposez les endives et le jambon, saupoudrez les endives avec des noix pilées, le jambon avec le persil haché. Dans un bol, préparez la sauce. Mettez le condiment (savora), ajoutez un filet de vinaigre balsamique. Remuez et ajoutez peu à peu l'huile de noix. Salez et poivrez.
Servez à côté, ou mélangez le tout légèrement.
Pour 4 personnes.

Salade d'épinard à l'émincé de poulet

Cette recette peut se préparer avec des épinards ou de la tétragone que l'on sert crus. Choisissez de jeunes pousses d'épinards ayant des petites feuilles, elles seront plus tendres. Cette salade est légère et délicieuse.

Préparation/cuisson

Préparation : 30 minutes

Cuisson : 25 minutes

Ingrédients

400 g de blancs de poulet

400 g d'épinards ou de tétragones

1 gros oignon

20 cl de crème

50 g de beurre

1/2 cuillère à café de curry en poudre

sel, poivre

Préparation

Épluchez l'oignon et coupez-le en fines lamelles. Dans une poêle, faites fondre le beurre. Faites-y revenir l'oignon jusqu'à ce qu'il soit translucide. Ôtez-le. À la place, mettez les blancs de poulet. Faites-les dorer sur les deux faces. Couvrez et laissez cuire à feu doux 15 minutes. Ôtez les blancs de poulet. Coupez-les en lanières et réservez.

Toujours sur le feu, dans le fond de sauce restant dans la poêle, mettez le curry, avec un peu de poivre. Remuez. Versez la crème et mélangez encore pour qu'elle se liquéfie. Salez et arrêtez la cuisson. Épluchez et lavez les épinards en ôtant les tiges. Essorez-les.

Sur un plat ou dans un saladier, coupez les feuilles en lanières.

Dispersez les tranches de poulet dessus.

Faites tiédir la sauce et nappez le tout. Servez.

Pour 4 personnes.

Salade de chou vert aux escargots

Salade d'hiver raffinée et à la fois rurale qui se sert tiède.

Préparation/cuisson

Préparation : 30 minutes

Cuisson : 20 minutes

Ingrédients

1 boîte de 48 petits escargots
sans coquille

1 chou vert de 600 g environ

1/2 poivron rouge

20 g de persil

1 cuillère à dessert de
moutarde à l'ancienne

15 cl d'huile

5 cl de vinaigre de vin

sel, poivre

Préparation

Faites chauffer une grande
quantité d'eau.

Épluchez-le chou, coupez-le
en deux. Rincez-le et jetez-le
dans l'eau en ébullition.
Ajoutez alors un peu de gros
sel. Laissez bouillir 6 minutes
et égouttez-le tout de suite
en pressant bien pour que
l'eau sorte. Laissez refroidir.
Rincez le poivron rouge.
Essuyez-le. Ôtez le centre
et coupez-le en lanières.
Ciselez le persil.
Préparez la sauce en
mélangeant la moutarde à
l'ancienne au vinaigre de vin.
Ajoutez l'huile en filet pour
obtenir un mélange
homogène. Salez. Coupez
le chou en lanières en ôtant
le cœur. Présentez-le sur un
plat avec le poivron rouge.
Nappez de sauce.
Mettez les escargots dans
une petite casserole et
couvrez-les d'eau. Faites
chauffer jusqu'au
frémissement, égouttez-les
et disposez-les sur la salade.
Parsemez de persil. Servez
tout de suite.
Pour 4 personnes.

Salade d'asperges mimosa

Cette recette est celle des producteurs d'asperges qui, au moment de la récolte, mangent des asperges à chaque repas. C'est une salade au goût délicat.

Préparation/cuisson

Préparation : 15 minutes
Cuisson : 30 minutes

Ingrédients

2 kg d'asperges vertes
4 œufs
2 citrons
20 g de persil frais haché
15 cl d'huile d'olive
gros sel
sel, poivre

Préparation

Faites bouillir de l'eau dans un grand récipient. Nettoyez les asperges en cassant le bout de l'asperge le plus loin possible de la pointe. S'il reste une partie blanche avant la pointe, épluchez-la avec un couteau économe. Rincez les asperges, plongez-les dans l'eau bouillante ; ajoutez le gros sel à ce moment, cela permet qu'elles gardent leur couleur verte soutenue. Faites cuire entre 20 et 30 minutes suivant leur calibre, l'eau restant frissonnante ; égouttez-les tout de suite et disposez-les sur un plat. Vous pouvez garder les asperges au frais jusqu'au moment de les servir. Pendant la cuisson des asperges, faites durcir les œufs en les plongeant dans l'eau froide ; portez à ébullition et laissez frémir 5 minutes. Sortez les œufs, écalez-les et écrasez-les à la fourchette. Mettez-les dans un bol, ajoutez le persil haché, du sel, du poivre, le jus des deux citrons et de l'huile d'olive. Versez cette préparation sur les pointes d'asperges et servez.
Pour 4 personnes.

63

Salade de pissenlits aux œufs pochés

Cette salade se sert au printemps, lorsque l'on ramasse des pissenlits jeunes et tendres.

Préparation/cuisson

Préparation : 30 minutes

Cuisson : 10 minutes

Ingrédients

500 g de pissenlits

150 g de lardons

2 tomates

1 petit oignon

20 g de persil

4 œufs

3 cl de vinaigre

10 cl d'huile

sel, poivre

Préparation

Nettoyez et lavez les pissenlits dans une grande quantité d'eau ; égouttez-les soigneusement. Ciselez l'oignon finement.

Mettez une petite casserole d'eau à chauffer avec un peu de vinaigre. Faites pocher les œufs, en les cassant dans de l'eau frémissante. Laissez-les cuire 4 minutes. Sortez-les avec une écumoire. Faites rissoler les lardons dans une poêle avec un filet d'huile très chaude. Préparez la sauce en mélangeant le vinaigre, l'huile, le sel, le poivre et l'oignon. Assaisonnez les pissenlits avec. Servez dans un saladier. Déposez dessus les lardons, les tomates coupées en quartiers et le persil haché, et enfin les œufs pochés. Servez.

Pour 4 personnes.

Salade de mâche aux betteraves rouges et œufs mimosa.

Cette salade est classique et toujours réussie. Préparez-la l'hiver, saison de récolte de la mâche et des betteraves, avec de bons œufs fermiers.

Préparation/cuisson

Préparation : 30 minutes
Cuisson : 10 minutes

Ingrédients

200 g de betteraves rouges cuites
200 g de mâche
6 œufs durs
3 cl de vinaigre
10 cl d'huile de noix
• Mayonnaise :
1 cuillère à soupe de moutarde
1 jaune d'œuf, 15 cl d'huile
sel, poivre

Préparation

Préparez la mayonnaise en mélangeant dans un bol le jaune d'œuf, la moutarde et une pincée de sel. Montez-la au batteur électrique en versant l'huile en filet très doucement. Lavez la mâche et essorez-la. Épluchez les betteraves rouges et coupez-les en dés.

Préparez l'assaisonnement en mélangeant l'huile de noix et le vinaigre. Versez une cuillère de ce mélange sur les betteraves et assaisonnez la mâche avec le reste. Tournez-la dans un saladier juste avant de servir. Écalez les œufs. Coupez-les en deux dans le sens de la longueur. Ôtez les jaunes. Écrasez-les à la fourchette. Mélangez les 3/4 avec la mayonnaise et emplissez-en les blancs. Parsemez les œufs ainsi présentés avec le restant de jaunes écrasés. Servez ensemble : mâche assaisonnée, œufs mimosa et betteraves. Vous pouvez décorer en ajoutant du persil ciselé. *Pour 4 personnes.*

Salade verte aux pélardons chauds.

Le pélardon est le fromage de chèvre traditionnel des Cévennes. Il est fabriqué de manière artisanale. Il est crémeux au printemps et développe ses saveurs lorsqu'il cuit.

Préparation/cuisson

Préparation : 10 minutes

Cuisson : 6 minutes

Ingrédients

4 pélardons frais

4 tranches de poitrine fumée

1 belle salade verte

1 échalote

10 cl d'huile d'olive

3 cl de vinaigre

sel, poivre

Préparation

Épluchez la salade.
Préparez l'assaisonnement en mélangeant l'huile d'olive, le vinaigre et l'échalote émincée. Salez et poivrez.
Par ailleurs, entourez chaque pélardon d'une tranche de poitrine fumée.
Posez-les côte à côte dans un plat allant au four.
Versez une goutte d'huile sur chacun et mettez-les au four chaud, thermostat 7/8, (220 °C) pendant 6 minutes environ. Remuez la salade et disposez les pélardons dessus dès qu'ils sont dorés, et avant qu'ils ne coulent.
Pour 4 personnes.

Salade de tomates et mozzarella

C'est une recette classique de Capri, en Italie, région où les tomates et la mozzarella sont réputées. La réussite de ce plat très simple dépend de la qualité des ingrédients de base. Choisissez de belles tomates de jardin.

Préparation

Préparation : 10 minutes

Ingrédients

8 tomates bien mûres
4 boules de mozzarella
100 g de salade verte
15 cl d'huile d'olive
2 cuillères à soupe d'huile d'olive
10 g de basilic ciselé
sel, poivre

Préparation

Coupez les tomates en rondelles. Disposez-les en rond dans l'assiette en laissant le centre libre. Salez. Faites de même avec la mozzarella. Salez et poivrez. Disposez la salade lavée et coupée au centre de l'assiette. Versez l'huile d'olive dessus et parsemez de basilic.
Pour 4 personnes.

Salade d'artichauts aux copeaux de parmesan.

Les Italiens sont friands d'artichauts qu'ils consomment crus ou cuits. Ce légume serait issu d'une modification d'une sorte de cardon, obtenue à Venise au xve siècle. Choisissez de petits artichauts tendres pour préparer cette recette.

Préparation

Préparation : 30 minutes

Ingrédients

8 artichauts violets
400 g de roquette
100 g de parmesan coupé en copeaux
le jus d'1 citron
10 cl d'huile d'olive vierge extra
sel, poivre

Préparation

Effeuillez les artichauts en maintenant fermement la base avec le pouce d'une main et en tirant d'un coup sec de l'autre. Coupez la queue. Coupez les feuilles blanches à leur base et ôtez le foin à l'aide d'un couteau. Enlevez la fine pellicule verte qui entoure le cœur et coupez-les en quatre. Mettez-les dans le jus de citron afin qu'ils ne noircissent pas.

Lavez la roquette, essorez-la et coupez-la grossièrement. Émincez les artichauts et mélangez-les à la salade ainsi que le sel, le poivre et l'huile d'olive.

Disposez le tout dans quatre assiettes et recouvrez de copeaux de parmesan.

Servez.

Pour 4 personnes.

Salade verte aux noix et au roquefort

Classique, simple et délicieuse, une belle salade de jardin avec des noix et du roquefort, assaisonnée d'une vinaigrette, sera toujours bienvenue.

Préparation
Préparation : 20 minutes

Ingrédients
1 salade verte
100 g de roquefort
150 g de cerneaux de noix
10 cl d'huile de noix
3 cl de vinaigre de vin
sel, poivre

Préparation
Épluchez la salade, en ôtant les feuilles abîmées. Lavez-la et essorez-la.
Préparez la sauce au fond du saladier en mélangeant le vinaigre avec l'huile.
Salez et poivrez.
Posez la salade dessus.
Parsemez de brisure de bon roquefort et de cerneaux de noix.
Mélangez avant de servir.
Présentez avec du bon pain bis et du beurre fermier.
Pour 4 personnes.

Salade grecque à la feta

Préparation au fromage frais grec au lait de brebis : la feta. Cette salade a de nombreuses variantes dans tout le bassin méditerranéen. Choisissez une très bonne huile d'olive et des légumes très frais. Servez avec un vin blanc frais du Languedoc ou du vin grec « retsina ».

Préparation

Préparation : 30 minutes

Ingrédients

400 g de tomates
1 concombre
200 g de feta
2 gousses d'ail
quelques brins de basilic
20 cl d'huile d'olive
sel, poivre

Préparation

Coupez la feta à l'avance en petits cubes. Mettez ceux-ci dans un bol et couvrez-les d'huile d'olive. Vous pouvez garder cette préparation 24 heures au frais.
Rincez les feuilles de basilic. Essorez-les bien. Hachez-les finement. Ajoutez l'ail épluché et haché le plus finement possible. Mélangez ces deux ingrédients dans un bol, salez et poivrez, et couvrez-les aussi d'huile d'olive. Gardez au frais.
Coupez les tomates en rondelles ou en dés.
Épluchez le concombre et coupez-le en tranches fines. Gardez au frais.
Présentez ces ingrédients au dernier moment sur un plat : tomates et concombre côte à côte. Versez dessus la feta et son huile ainsi que le basilic et son huile.
Poivrez bien et servez.
Pour 4 personnes.

Légumes du jardin en anchoïade

L'anchoïade est une purée d'anchois. C'est une préparation typiquement méridionale. Dans cette recette, elle accompagne des légumes d'été crus : fenouil, carottes, artichauts, céleri, concombre, tomates, chou-fleur, etc., coupés en bâtonnets, que l'on trempe dedans pour les déguster. Choisissez de préférence les légumes du jardin très frais ou les légumes de saison que vous trouverez chez les producteurs.

Préparation/cuisson

Préparation et cuisson :
40 minutes

Ingrédients

800 g de légumes crus variés
• Sauce :
300 g d'anchois salés
3 gousses d'ail
15 cl d'huile d'olive
le jus d'1/2 citron

Préparation

Préparez l'anchoïade : rincez les anchois à l'eau courante, ôtez la tête et l'arête centrale.
Pilez l'ail épluché et les filets d'anchois longuement avant de les mettre dans un poêlon avec 1 cuillère d'huile d'olive. Faites chauffer doucement en versant peu à peu le reste d'huile d'olive. Tournez sans cesse avec une cuillère en bois. Cela doit former une pâte épaisse et lisse. Ajoutez le jus du demi-citron. Mélangez. Conservez au frais si vous préparez l'anchoïade à l'avance.
Épluchez les légumes, rincez-les et coupez-les en bâtonnets. Laissez les têtes de chou-fleur en petits bouquets et les tomates cerise entières.
Pour 4 personnes.

Salade d'agrumes au fenouil

Préparez cette salade sicilienne de préférence en hiver, lorsque les agrumes sont juteux et doux. Elle sera meilleure encore si vous enlevez la fine peau intérieure des fruits.

Préparation

Préparation : 20 minutes

Ingrédients

2 bulbes de fenouil

4 oranges

4 pamplemousses

4 citrons

3 cl de vinaigre

10 cl d'huile d'olive

sel, poivre

Préparation

Pelez les agrumes et coupez-les en quartiers en conservant le jus. Lavez le fenouil et émincez-le très finement. Préparez une vinaigrette avec le vinaigre, l'huile, le poivre, le sel. Ajoutez le jus des fruits. Disposez les fruits en rosace et mettez les lamelles de fenouil au centre. Arrosez de vinaigrette et servez très frais.
Pour 4 personnes.

Concombre au yaourt

C'est une préparation orientale, classique. Le concombre accommodé ainsi doit être servi très frais. Il peut être consommé tel quel, ou en accompagnement de légumes ou de boulettes de viandes hachées froides.

Préparation

À l'avance : 1 heure minimum
Préparation : 10 minutes

Ingrédients

1 l de yaourt
1 concombre
4 gousses d'ail
1 cuillère à soupe de menthe fraîche hachée
sel

Préparation

Épluchez le concombre et coupez-le en cubes. Hachez l'ail. Mélangez ensemble le yaourt, le concombre et l'ail écrasé. Salez. Ajoutez la menthe fraîche hachée. Couvrez d'un film de plastique alimentaire et mettez au réfrigérateur au moins 1 heure. Servez très frais.
Pour 4 personnes.

Taboulé libanais

C'est probablement la recette la plus connue du Liban, mais aussi celle qui connaît le plus de variantes. Celle-ci est préparée dans les familles libanaises, avec très peu de boulgour et beaucoup d'aromates.

Préparation

À l'avance : 30 minutes
Préparation : 20 minutes
Au frais : 1 heure

Ingrédients

50 g de boulgour fin
(blé concassé)
4 tomates
2 oignons
3 bouquets de persil plat
5 brins de menthe fraîche
le jus de 2 citrons
10 cl d'huile d'olive
sel, poivre

Préparation

Couvrez le boulgour d'eau et laissez-le gonfler pendant 30 minutes.
Coupez les tomates en dés, hachez les oignons, la menthe et le persil.
Mélangez le tout, salez et poivrez. Ajoutez le boulgour.
Arrosez d'huile d'olive et de jus de citron.
Laissez reposer 1 heure au moins au frais et servez.
Pour 4 personnes.

Choucroute crue en salade

Cette recette nous vient bien sûr d'Alsace. C'est une manière savoureuse de manger le chou de choucroute cru. Cette préparation saine et agréable constitue un repas complet et léger pour les amateurs de légumes.

Préparation/cuisson

Préparation : 20 minutes

Cuisson : 5 minutes

Ingrédients

200 g de choucroute crue

400 g de chou vert

200 g de carottes

2 pommes

15 cl d'huile de pépin de raisin

3 cl de vinaigre balsamique

sel, poivre

Préparation

Faites chauffer une grande quantité d'eau. Épluchez le chou vert, coupez-le en quartiers, lavez-le et plongez-le dans l'eau bouillante avec un peu de gros sel. Laissez frémir 5 minutes, et égouttez. Coupez les feuilles en lanières. Épluchez les carottes, lavez-les et râpez-les. Démêlez la choucroute avec les doigts. Présentez-la avec le chou vert mi-cuit et les carottes râpées. Ajoutez les pommes épluchées et coupées en dés. Préparez la vinaigrette en mélangeant le vinaigre et l'huile. Salez et poivrez. Versez sur la préparation avant de servir. *Pour 4 personnes.*

Poivrons rouges en salade

Préparation méditerranéenne. Les poivrons ainsi préparés se conservent sans crainte plusieurs jours au frais. Ils peuvent être servis avec d'autres préparations de légumes froids, ou en accompagnement de viandes grillées.

Préparation/cuisson

Préparation : 30 minutes
Cuisson : 40 minutes

Ingrédients

3 poivrons rouges
3 gousses d'ail
persil
huile d'olive
sel, poivre

Préparation

Lavez les poivrons, essuyez-les et enveloppez-les un par un dans une feuille d'aluminium. Faites-les cuire 40 minutes à four chaud ou sous la braise.

Enroulez-les ensuite 15 minutes dans un torchon pour les faire transpirer. Ôtez la peau, qui se retire très facilement, avec la pointe d'un couteau. Ôtez le pédoncule et les graines. Découpez les poivrons en lanières. Disposez celles-ci dans un plat. Ajoutez l'ail et le persil finement hachés. Salez, poivrez et arrosez généreusement d'huile d'olive. Gardez au frais jusqu'au moment de servir.

Pour 4 personnes.

Salade d'aubergines froides au coulis de

tomates. Préparez le coulis de tomates en grande quantité, parce que sa cuisson est longue. Il servira pour plusieurs plats et pour des assaisonnements. On peut le garder quelques jours au réfrigérateur, ou le congeler en petits sachets.

Préparation/cuisson

Préparation : 30 minutes

Cuisson : 2 heures

Ingrédients

4 aubergines

2 kg de tomates

8 gousses d'ail, 2 oignons

50 g de basilic frais haché

thym, laurier

5 cl d'huile d'olive

huile de tournesol ou d'olive

1 cuillère à café de sucre

pour la cuisson

sel, poivre

Préparation

Préparez à l'avance le coulis de tomates. Mettez l'huile d'olive dans un grand faitout et faites-y revenir l'oignon émincé. Ajoutez les tomates coupées en gros morceaux, l'ail épluché, le thym, le laurier, le sel, le poivre, et une cuillère à café de sucre. Laissez le récipient ouvert et faites mijoter à feu très doux pendant 2 heures. Lorsque la cuisson est terminée, passez au moulin à légumes. Gardez au frais à part. Lavez et essuyez les aubergines. Coupez-les en tranches d'un centimètre d'épaisseur environ. Laissez la peau qui permet aux morceaux de garder leur forme une fois cuits. Farinez-les légèrement en les secouant bien avant de les mettre dans une poêle contenant de l'huile très chaude. Traditionnellement, on utilise de l'huile d'olive, mais elle peut être remplacée par une huile plus légère. Faites dorer les tranches d'aubergines des deux côtés et égouttez-les. Présentez-les dans un plat. Gardez au frais. Au moment de servir, versez le coulis à côté des aubergines et parsemez de basilic.

Pour 6 personnes.

DIRECTEUR DE COLLECTION :
    JEAN-PIERRE DUVAL

CONCEPTION GRAPHIQUE :
    CHRISTOPHE MEIER

MONTAGE :
    PAOLA BORSARI

© ROMAIN PAGES ÉDITIONS, 2003

BP 82030
F-30252 - SOMMIÈRES CEDEX
T 04 66 80 34 02
F 04 66 80 34 56
E.MAIL : pages@wanadoo.fr
SITE WEB : www.romain-pages.com

DÉPÔT LÉGAL : AVRIL 2003
ISBN : 2-84350-128-8

PHOTOGRAVURE PAYS D'OC (NÎMES)
IMPRESSION SAGRAFIC (BARCELONE)

Venez nous rejoindre sur nos sites internet et
découvrez nos livres jeunesse, voyage, nature sur :

www.romain-pages.com

et la cuisine des terroirs sur :

www.pages-terroir.com